Pierre Dac

Les Pensées

COLLECTION
« LES PENSÉES »

le cherche midi éditeur
23, rue du cherche-midi 75006 paris

La perruque et le maquillage de Pierre Dac ont été réalisés dans les Salons Carita.
La photographie est signée André Delboy.

© Le Cherche Midi Éditeur 1972

« *Dire qu'il existe des gens qui préfèrent François Mauriac à Pierre Dac. Comment se peut-ce ? Si je devais écrire une biographie un jour, j'écrirais celle de Pierre Dac. Je voudrais tant expliquer aux cons et aux jeunes l'importance de cet homme dans la pensée moderne. Pierre Dac est à l'esprit d'aujourd'hui, ce que Charles Trenet est à la chanson. Merci Pierre Dac de nous avoir enfoncé tant de portes !* »

SAN-ANTONIO,
(*Emballage Cadeau,*
Editions Fleuve Noir).

ANTI PREFACE

Cher Monsieur,

J'ai lu vos pensées avec un plaisir sans mélange. J'ai toujours beaucoup aimé votre façon de voir et d'exprimer les choses et depuis déjà fort longtemps tout ce qui était signé Pierre Dac m'intéressait irrésistiblement ; récemment encore votre feuilleton à la radio. Mais je me vois très mal dans la peau d'un préfacier pour une œuvre hautement philosophique de Pierre Dac. Je sais bien qu'il est question de sciences et de recherche scientifique mais ce sont quelques propos au milieu de beaucoup d'autres et qui d'ailleurs relèvent plus de la poésie, de la philosophie, voire du mystère que de la forme de science à laquelle je suis malheureusement trop habitué.

En vérité, si je fais quelque chose de sérieux ce sera ridicule et si je fais quelque chose d'humoristique çà ne pèsera pas lourd devant le texte de Pierre Dac. Vraiment, je suis tout à fait persuadé qu'un *ouvrage signé Pierre Dac n'a pas besoin de préface. La préface n'est utile que pour ceux qui ne sont pas encore assurés de leur talent, qui débutent, qui ont besoin d'un appui mais c'est plutôt moi qui aurais besoin, pour mon prochain ouvrage, d'une préface de Pierre Dac : j'ai bien vu un livre d'histoire sérieux et sévère écrit par un professeur agrégé, sur les Gaulois préfacé par les auteurs d'Astérix. Dans ce sens c'était très bon, mais pas plus je ne vois les Astérix préfacés par d'ennuyeux professeurs plus ou moins fossilisés, pas plus je ne vois le Pierre Dac préfacé par un malheureux scientifique astreint à une tournure d'esprit peu spirituelle. Votre ouvrage qui m'a enchanté, qui a également fait la joie de mes enfants qui vous aiment bien, va enchanter certainement tous ses lecteurs qui sont très nombreux mais il faut qu'il sorte sans préface, il n'en sera que meilleur.*

Nucléoclastiquement vôtre.

Louis LEPRINCE-RINGUET.

AVANT-PROPOS

A part ceux qui l'ignorent parce qu'ils n'en savent rien, et réciproquement, tout le monde sait que la pensée a, de tout temps, joué un rôle aussi considérable que prépondérant dans la société d'encouragement pour l'amélioration de la race chevaline humaine.

Aussi est-ce en vertu de cet universel constat que j'ai au cours de ma déjà longue carrière (de ma déjà longue carrière de pierre, puis-je même dire, puisque tel est mon prénom) accumulé en les amoncelant, et réciproquement, un nombre aussi considérable que très important de pensées cogitées et réfléchies par moi en toute connaissance de juste cause et de raison pure, ainsi qu'en toute impartiale et sereine objectivité. Poil à la vérité.

J'en ai soigneusement et minutieusement trié sur le volet, les persiennes et les stores métalliques, une certaine quantité, plus que certaine, même, en prenant soin, après triage scrupuleux, de les choisir méticuleusement parmi les plus profondes, les plus pertinentes et les plus édifiantes, à effet de les soumettre à

9

votre libre appréciation tout en vous informant qu'après lecture faite, persistance et signature, elles sont remboursées par la sécurité sociale, sur simple présentation, à la caisse centrale ou régionale, d'une pièce d'identité ou, à défaut, et de préférence, d'une pièce de cent sous.

Les voici donc, par ordre successif de pensées successives et sans ordre protocolaire de préséance, c'est-à-dire en ordre dispersé par les forces de l'ordre et par ordre de la Préfecture de Police, en vue d'assurer le maintien de l'ordre public, national et démocratique. Poil aux arthritiques.

• • •

Et maintenant, place au premier propos sans préjudice des suivants. Poil aux survivants.

PENSEES EPARSES

Ce qui différencie totalement un régime de bananes d'un régime totalitaire c'est que le premier est alimentaire et débonnaire alors que le second est autoritaire et arbitraire.

* * *

Les meilleures et les plus solides épingles de sûreté sont les épingles de sûreté nationale.

* * *

Il ne faut pas confondre un fromage de Hollande avec un faux mage de Finlande. Poil aux Irlandais. Ça ne rime pas, je sais, mais c'est vrai, étant donné et vu que les Irlandais ont du poil aux yeux, au nez, aux bras, aux jambes, au dos, sur la poitrine et ailleurs.

* * *

A l'encontre de ce que pourraient penser d'aucuns quidams mal renseignés un contestataire est un homme en colère qui conteste, et non un idiot en fureur qui fait son testament.

* * *

Un homme qui perd les pédales est un homme qui perd ses moyens et non un pédéraste qui perd les amitiés particulières dont il jouissait.

* * *

A l'encontre de ce que racontent ceux qui ne renvoient pas l'ascenseur, la fête de l'Ascension n'est pas celle des liftiers.

* * *

C'est le célèbre physicien André Ampère et non Victor Hugo qui a écrit l'art d'être ampère.

* * *

Pour quelle raison mystérieuse et inconnue tout ce qui ne veut rien dire s'obstine-t-il à le dire opiniâtrement et mordicusement ?

* * *

Ceux qui ont une grande gueule ont bien souvent une petite tête. Poil aux hommes qui têtent.

* * *

Si le régime des Allocations familiales était vraiment correct et régulier tout allocataire familial prolifique devrait, à partir de neuf enfants, avoir droit à la qualification de père de famille professionnel.

* * *

Tout penseur avare de ses pensées est un penseur de Radin.

* * *

Quand on prend les virages en ligne droite, c'est que ça ne tourne pas rond dans le carré de l'hypoténuse.

* * *

Pour un colonel en retraite qui, avec brio, a commandé un régiment devant l'ennemi, rien n'est plus démoralisant ni plus déprimant que de se voir réduit à commander une choucroute avec un demi dans une brasserie.

* * *

Ceux qui pensent à tout n'oublient rien et ceux qui ne pensent à rien font de même puisque ne pensant à rien ils n'ont rien à oublier.

* * *

Ceux qui ne savent pas à quoi penser font ce qu'ils peuvent, toutefois et néanmoins, pour essayer de penser à autre chose que ce à quoi ils ne pensent pas.

* * *

Les pense-bêtes sont les porte-clés de la mémoire.

* * *

La mémoire c'est du souvenir en conserve.

* * *

L'ordre établi à son compte est celui qui se met en société à responsabilité limitée à ses possibilités compte tenu de ses impossibilités toujours possibles.

* * *

L'ordre établi ne l'est souvent que par rapport aux ordres donnés par ceux qui ont ordonné de l'établir.

* * *

Les forces de l'ordre sont celles qui sont aux ordres de ceux qui les donnent.

* * *

L'établissement de l'ordre par la force est souvent un établissement de dernier ordre.

* * *

Il faut que l'ordre établi soit bien malade quand son rétablissement, du fait qu'il est troublé, nécessite l'emploi des moyens dont disposent ceux qui décident de le rétablir par tous les moyens. Poil aux citoyens.

* * *

Il y a contre-ordre quand un peuple estime qu'il est temps de mettre bon ordre à l'ordre établi pour le remplacer par un autre qui ne reçoit d'ordres que de lui-même.

* * *

En psychologie introspective la pédérastie est considérée comme un phénomène de transposition de l'introspection de conscience sur le plan postérieur de l'introspecté concerné.

* * *

La règle de plomb des services secrets, en cas de péril, est : « Tirer d'abord, viser ensuite et réfléchir après. »

* * *

Un bon agent secret circonspect et méfiant par profession, a pour devoir élémentaire, s'il est appelé à entrer en contact top intime et ultra particulier avec une personne du sexe féminin quelque peu suspecte, de vérifier préalablement, soigneusement et scrupuleusement, s'il ne s'agit pas, en la secrète occurence, d'un homme camouflé en femme.

* * *

Un agent double ne doit jamais se donner rendez-vous avec son double personnage au même endroit sous peine de se retrouver tout seul avec lui-même dans un lieu différent.

* * *

Les agents de l'Intelligence Service qui, dans le service, en sont dépourvus sont appelés les agents de l'Imbécility service.

* * *

L'assurance de la considération distinguée, celle sur la démarche et celle de l'expression des sentiments les meilleurs ne sont prises en considération par aucune compagnie d'assurances.

* * *

L'esprit de l'escalier est celui qui manque une marche dans celui de l'à-propos pour se retrouver au sous-sol de la réplique manquée. Par contre, l'esprit de l'ascenseur est celui qui sort de sa cage à l'étage opportun.

* * *

Un sens interdit ne l'est formellement et réellement que s'il est, non moins formellement et non moins réellement, unique en sens inverse.

* * *

Les voies qui ne sont ni en sens unique, ni en sens interdit, ni à double sens, n'ont aucun sens parce qu'elles vont dans tous les sens.

* * *

L'élan du cœur n'a rien de commun avec l'élan du grand nord.

* * *

La devise des hommes d'affaires plus ou moins scrupuleux est : « Savoir toujours assez bien nager pour n'avoir jamais à trop se mouiller ».

* * *

La Sainte-Trinité, c'est le divin Tiercé du Ciel.

* * *

La bonne moyenne de la croyance s'établit par le total de ceux qui croyaient et qui ne croient plus et de ceux qui ne croyaient pas et qui croient.

* * *

Le véritable et authentique athée est celui qui croit fermement et dur comme fer que Dieu lui-même ne croit pas en Lui.

* * *

A l'encontre de ce qu'en pensent certains innocents coupables de l'être, la puériculture n'est pas la culture du puéril.

* * *

L'heure du berger est parfois celle des brebis galeuses.

* * *

L'infini ne peut guère conduire qu'à zéro et réciproquement.

* * *

Quand le feu vert est donné à un chèque en blanc, c'est que le self-service comptable est compris dans le compte en banque en billets bleus.

* * *

Le cuivre, c'est l'or des modestes, la pierre c'est l'argent des faibles et le poil, c'est le bronze des forts.

* * *

Pour les femmes fortes que le souci de maigrir obsède, le meilleur moyen pour y parvenir est de se mettre en perte de vite fesses.

* * *

N'importe quoi vaut souvent mieux que rien du tout, et réciproquement, de même que quiconque n'est pas souvent quelqu'un, et inversement.

* * *

Les souvenirs récents qui ont le respect des anciens s'effacent devant eux.

• • •

Si active et si diligente qu'elle soit, la police ne parviendra jamais à arrêter le temps qui s'enfuit.

• • •

Il vaut mieux, à mon avis, être en bon état de santé qu'en mauvais état d'arrestation. Encore que l'un n'empêche pas l'autre.

• • •

Malgré ce que s'imaginent faussement certains profanes impénitents, l'aviculture n'est pas la culture de la vie, pas plus que la pisciculture n'est la culture des pisseurs de copie.

• • •

Le stoppage d'un vêtement est souvent la conséquence d'une collision de voitures provoquée par un stop non respecté.

• • •

Je ne vois pas pourquoi on dit toujours d'un homme très fiévreux qu'il a une fièvre de cheval et jamais d'un cheval également très fiévreux qu'il a une fièvre d'homme.

* * *

S'il est vrai, comme l'a écrit Guillaume Apolli-
naire, que sous le pont Mirabeau coule la Seine, il est
non moins vrai, comme l'a écrit le préfet de la Seine,
que sur le pont Mirabeau ne poussent pas les mira-
belles.

* * *

Tout penseur avare de ses idées est un penseur de
Radin.

PENSEES EN VRAC

Les détracteurs agricoles sont les dépréciateurs de l'agriculture.

* * *

Quand on dit d'un artiste comique de grand talent qu'il n'a pas de prix, ce n'est pas une raison pour ne pas le payer sous le fallacieux prétexte qu'il est impayable.

* * *

Le fait d'avoir la tête en feu n'exclue pas, toutefois et néanmoins, d'avoir le feu au cul.

* * *

Si, en vérité pure on a toujours raison de ne pas avoir tort, en réalité altérée on a souvent tort d'avoir raison.

* * *

Ce qui, apparemment, ne sert jamais à rien pour les uns peut, effectivement, servir toujours à tout pour les autres.

* * *

Mourir en bonne santé, c'est le vœu de tout bon vivant bien portant.

* * *

La perte d'un objet bon marché est préférable à celle d'un être cher. Encore que l'une n'empêche pas l'autre.

* * *

Si la semaine de 40 heures était réduite de moitié, les fins de mois auraient lieu tous les 15 jours.

* * *

Pour aussi insolite que ça puisse paraître, quand un poisson mord à l'hameçon, c'est le pêcheur qui remet le péché, non pas en rémission, mais dans son filet de pêche.

* * *

Avoir les traits tirés, c'est mauvais signe. Les avoir tirés à quatre épingles, c'est de bon augure.

• • •

Une fausse erreur n'est pas forcément une vérité vraie.

• • •

Les clés de contact de tableau de bord des automobilistes imprudents permettent, souvent à ceux-ci, d'avoir un contact direct avec l'au-delà.

• • •

Il vaut mieux démarrer sur les chapeaux de roues que sur les chapeaux des piétons.

• • •

Un bon buveur boit bien le vin qu'il déguste et un bon buvard boit bien l'encre qu'il sèche.

• • •

Il vaut mieux prendre ses désirs pour des réalités que de prendre son slip pour une tasse à café.

* * *

Tout orateur ou tout comédien qui parvient à prononcer en accéléré, sans hésiter, sans souffler et sans bafouiller 75 fois de suite : « Je veux et j'exige, j'exige et je veux », est en droit d'exiger tout ce qu'il veut et de vouloir tout ce qu'il exige.

* * *

Quand on n'a besoin que de peu de chose, un rien suffit, et quand un rien suffit on n'a pas besoin de grand-chose.

* * *

La solution est au problème ce que le résultat est à l'entreprise.

* * *

Ce qui différencie une traite à fin de mois honorée par son signataire d'un traitre à sa signature, n'est autre que ce qui les sépare par opposition de rapport.

* * *

Pour ceux qui vont chercher midi à quatorze heures, la minute de vérité risque de se faire longtemps attendre.

* * *

En sexologie spatiale, il est universellement admis et reconnu que les cosmonautes placés en état absolu d'abaisenteur peuvent sans le moindre effort ni la moindre difficulté, diriger leur sexe et s'en servir dans tous les azimuts.

* * *

Rien n'est plus semblable à l'identique que ce qui est pareil à la même chose.

* * *

Quoiqu'en prétendent ceux qui ne savent pas ce qu'ils disent, les transistors ne sont pas des stores en transit.

* * *

Celui qui passe tout seul une nuit sur le Mont-Chauve de Moussorgski n'a pas fini de se faire des cheveux à la Dostoïevski.

* * *

Sous le régime tsariste quand les bateliers de la Volga étaient ivres on les appelait les bateliers de la Vodka. Poil aux balalaïkas.

* * *

Il ne faut pas confondre le moi de son soi avec le mois de sa naissance, mais avec les fins de mois difficiles.

* * *

Une grande belle grille en fer forgé pour se protéger ne vaudra jamais une grande belle grillade au feu de bois pour se restaurer.

* * *

Rien ne s'oppose à ce qu'un nécromancien soit néanmoins né en Nouvelle-Zélande ou au Nouveau Mexique. Poil au lexique.

* * *

Une femme mariée à un homme qui la trompe avec la femme de son amant, laquelle trompe son mari avec le sien et qui en est réduite à tromper son amant avec celui de sa femme parce que son amant est son mari et que la femme de son époux est la maîtresse d'un homme déshonoré par l'amant d'une femme dont le mari trompe sa maîtresse avec la femme de son amant ne sait plus où elle en est ni ce qu'elle doit faire pour ne pas compliquer encore une situation qui l'est déjà suffisamment comme ça.

* * *

A l'encontre de ce que prétendent et même affirment certains ignorants aussi butés qu'obstinés, c'est « mens sana in corpore sano » qu'a écrit Juvénal dans ses fameuses satires (X, 356) et non « Laisse ça là et incorpore les salauds ».

* * *

Entre une langue vivante et une langue morte il y a la même différence que celle qui existe entre une langue bien pendue et une langue de bœuf bien fendue.

* * *

On dit d'un pantalon qui tombe correctement qu'il va bien et d'un pantalon qui ne va pas bien qu'ils tombe mal, surtout quand il glisse jusqu'aux pieds.

* * *

Quand, à la suite de l'heureuse et opportune décision des deux fédérations concernées, le catch à 4 et le rugby à 13 inverseront leurs règles, c'est-à-dire quand le catch sera à 13 et le rugby à 4, ce sera jour faste pour les supporters de ces deux disciplines spectaculaires et sportives.

* * *

La virilité verbale sexuelle supplée en toute relativité de sexualité à l'impuissance virile sexuelle totale.

* * *

Le jour où les gauloises bleues fusionneront avec les gitanes vertes, l'avenir sera sombre pour le tabac gris.

* * *

Le traditionnel « Paix à ses cendres » n'implique pas l'oubli des vivantes saloperies défuntes.

* * *

Ceux que la fumée n'empêche pas de tousser et que la toux n'empêche pas de fumer ont droit à la reconnaissance émue de la Régie française des tabacs et des allumettes suédoises nationales.

* * *

Dieu est le seul et unique président directeur général de la société universelle dont la responsabilité soit illimitée.

* * *

Le refrain de la Marseillaise microsillonnaire est : « Qu'un 100 % plus ou moins pur abreuve nos microsillons. » Poil aux postillons.

. . .

Il faut une infinie patience pour attendre toujours
ce qui n'arrive jamais.

. . .

D'après ce que je pense, un cercle vicieux est un
polygone aux côtés duquel on se cogne la tête sans
parvenir à en sortir.

. . .

On dira ce qu'on voudra mais une nouvelle pièce
de théâtre ne vaudra jamais une ancienne pièce de
75 pour atteindre un objectif militaire.

. . .

La verveine est l'infusion favorite des favoris de
la chance infuse. Poil aux bruits qui fusent.

. . .

C'est quand les accents graves tournent à l'aigu
que les sourcils sont en accent circonflexe.

* * *

Un rhume de cerveau c'est un nez qui coule de source.

* * *

Le présent, c'est la fraction de temps qui sépare le passé de l'avenir. Poil au souvenir.

* * *

Dans la lutte pour la vie celui qui est à bout de souffle, à bout d'arguments, à bout de moyens et à bout de tout n'est heureusement et par contre pas au bout de ses peines.

* * *

On ne meurt pas toujours littéralement d'inanition, mais toujours intégralement d'inhumation.

* * *

Les pensées fugitives sont des pensées qui passent à la sauvette sans laisser de traces.

* * *

Quelle peut bien être la réaction d'une idée bien arrêtée qui voit passer une pensée fugitive et fuyante ?

* * *

Quand plusieurs idées bien arrêtées se fixent solidement et fermement sur un point bien objectivement déterminé, elles forment un G.I.D.P.C. ou groupe impératif de pensée catégorique.. Poil à l'élixir parégorique.

* * *

Quand le secteur privé l'est de nourriture, c'est qu'il est en panne de secteur particulier consécutive à une faute de réseau commise dans l'exercice de ses fonctions administratives et sociales.

* * *

Ceux qui confondent l'harmonie préétablie de Leibnitz avec l'harmonie municipale de la Garenne-Bezons font de la confusion philosophique, musicale et mentale.

* * *

Un prince consort est un personnage princier que son épouse la reine sort de temps à autre pour le montrer à ses fidèles sujets, histoire de leur prouver qu'elle est toujours sa femme.

* * *

Qu'est-ce qu'un carrefour sinon, en vérité de rond-point, un centre d'accueil où viennent se réfugier les voies de convergence. Poil aux contingences.

* * *

La formule évangélique : « En vérité je vous le dis » sert, aux faux-jetons, à transformer les vrais mensonges en fausses vérités.

* * *

Ne pas dételer est un bon conseil à condition que les brancards tiennent bon la rampe.

* * *

Dans la vie, il ne sert de rien de tenir bon la rampe, si celle-ci est branlante et les marches de l'escalier aussi.

* * *

Si la façon de donner vaut mieux que ce que l'on donne, la façon de ne pas donner ne vaut rien.

* * *

Les cardinaux facétieux font parfois porter le chapeau aux sous-développés de la pointure cardinale.

* * *

Il n'y a aucun rapport entre la reine d'Angleterre et les rennes des pays nordiques.

PENSEES CHOISIES

Selon Saint-Juste la pensée est à l'homme ce que le droit est au citoyen ◆ Selon Schopenhauer, ce que la bière est à la pression et ce que la moutarde est à la saucisse ◆ Selon Châteaubriand, ce que l'épaisseur est au filet de bœuf grillé ◆ Selon Shakespeare, ce que Roméo est à Juliette, et réciproquement ◆ Selon Marcel Proust, André Gide, Oscar Wilde et Roger Peyrefitte ce que la soupe est à l'oignon et inversement ◆ Et selon moi, ce que la main de ma sœur est à la culotte d'un zouave.

• • •

D'après ce que je pense ce n'est pas le God Save the King que chantaient les croisés britanniques de la première croisade, mais le God froi de Bouillon. De même, ce n'est pas le serment du Jeu de Paume, mais le serment du jus de pomme que prêtèrent les députés du Tiers-Etat, de la section des cidrophiles, le 20 juin 1789.

• • •

La voix de celui qui crie dans le désert d'Arizona a bien peu de chance d'être entendue de ceux qui glandent dans les steppes de l'Asie centrale de Borodine.

* * *

La véritable modestie consiste toujours à ne jamais se prendre pour moins ni plus que ce qu'on estime qu'on croit qu'on vaut ni pour plus ni moins que ce qu'on évalue qu'on vaut qu'on croit.

* * *

Etre dur de la feuille n'empêche pas, pour autant, d'être mou de la branche, et réciproquement.

* * *

Bien que n'étant pas spécialement tellement curieux, je voudrais tout de même bien savoir pourquoi les femmes blondes ont le cuir chevelu noir, surtout le samedi soir sur le bord du trottoir de la rue de l'Abreuvoir.

* * *

Le crétin prétentieux est celui qui se croit plus intelligent que ceux qui sont aussi bêtes que lui.

* * *

Je pense, en complet veston — pardon — en complet accord, veux-je dire — avec le R.P. Paudemurge, de la Cie des Messageries Dominicaines, que l'humilité chrétienne, n'est pas incompatible avec l'humidité du soir. Et réciproquement.

* * *

Ceux qui sont myopes d'un œil, presbytes de l'autre et qui louchent, par surcroit, n'ont aucune excuse valable de ne pas se rendre compte de ce qui se passe autour d'eux.

* * *

Si la Terre était vraiment aussi ronde qu'on le prétend, les ivrognes seraient peut-être moins ronds qu'ils semblent l'être quand ils le sont comme une boule.

* * *

C'est ce qui divise les hommes qui multiplie leurs différents.

* * *

Les résistants de 1945 sont, parmi les plus glorieux et les plus valeureux combattants de la Résistance, ceux qui méritent le plus d'estime et le plus de respect parce que, pendant plus de 4 ans, ils ont courageusement et héroïquement résisté à leur ardent et fervent désir de faire de la Résistance.

* * *

Un vers bien troussé n'empêche pas son auteur de bien trousser une fille, pas plus qu'un discours bien construit n'empêche son constructeur de bien construire une maison de rapport détaillé.

* * *

Le véritable égoïste est celui qui ne pense qu'à lui quand il parle d'un autre.

* * *

Dans une démocratie égalitaire comme la nôtre, il est permis de se demander de quelles occultes protections jouissent privilégièrement les passages protégés des routes de France.

* * *

Pour un prêtre consacré vraiment digne du nom sacré de curé tonsuré, il est sacrément et sacramentellement préférable de dire à ses pieuses et vertueuses ouailles : « Que le Seigneur vous tienne en sa sainte garde » en les bénissant, plutôt que : « Vous tienne et vous garde enceinte » en les envoyant se faire foutre.

● ● ●

C'est quand la trésorerie d'une paroisse est en difficulté que le tronc du culte ne sert plus de boîte aux lettres. De même, c'est quand le pifomètre est au variable que le contraceptif est sous le paillasson. Ce qui, pour autant, n'empêche pas le bâton nerveux d'être scié par les deux bouts quand le camembert est dans la barbe du sapeur et que la main d'un masseur diplômé est dans la capote d'un slave déplumé.

● ● ●

La véritable et sincère amitié verbale profondément superficielle est celle sur laquelle on peut absolument compter quand on n'a strictement besoin de rien.

● ● ●

Parler pour ne rien dire et ne rien dire pour parler sont les deux principes majeurs et rigoureux de tous ceux qui feraient mieux de la fermer avant de l'ouvrir.

● ● ●

S'il est vrai que 2 et 2 font de leur mieux pour faire 4, il est non moins vrai que 18 et 20 font tout ce qu'ils peuvent pour ne pas faire 39,95.

* * *

La mort n'est, en définitive, que le résultat d'un défaut d'éducation puisqu'elle est la conséquence d'un manque de savoir vivre.

* * *

Les choses étant ce qu'elles sont, comme a dit Vaucanson, à défaut d'être ce qu'on voudrait qu'elles soient ou fussent, comme a dit Confucius, c'est quand y en a ras le bol qu'y en a plus que marre parce qu'on en a par dessus la tête d'en avoir plein le curriculum vitae.

* * *

D'après la Cour des Comptes, tant que les prix Nobel, y compris ceux à réclamer, ne seront pas stabilisés, le coût de la connaissance ne fera qu'augmenter, et, d'après ma propre expérience, c'est au fur et à mesure qu'on les dépense que les francs lourds deviennent de plus en plus légers.

* * *

Ceux qui confondent le judo avec le jus de veau sont du même modèle que ceux qui confondent l'U.D.R. avec le P.M.U., encore qu'il n'est pas inutile à un pratiquant du judo de prendre du jus de veau et que rien n'empêche un membre de l'U.D.R. de jouer au P.M.U.

* * *

Il y a, tant incontestablement qu'indubitablement, une nuance d'importance entre deux marins frères jumeaux et une paire de jumelles marines, bien que les uns peuvent se servir de l'autre à toutes fins utiles.

* * *

Quand le ciel se couvre subitement, c'est qu'il a un découvert à couvrir soudainement. Poil au firmament.

* * *

Si ma tante en avait on l'appellerait mon oncle, et si mon oncle en était on l'appellerait ma tante. En tout bien tout honneur, naturellement. Poil aux organes de remplacement.

* * *

Ce n'est pas parce qu'en hiver on dit : « Fermez la porte, il fait froid dehors », qu'il fait moins froid dehors quand la porte est fermée.

* * *

Si, comme l'a dit un jour le Général de Gaulle, la France n'était pas ce qu'elle est, c'est-à-dire la France, tous les Français seraient des étrangers.

* * *

Un bien qui répand de la sauce sur la robe de sa voisine vaut mieux qu'un mal qui répand la terreur dans le froc de son voisin.

* * *

Si rien n'est moins sûr que l'incertain, rien n'est plus certain que ce qui est aussi sûr.

* * *

Ceux qui confondent une rose trémière avec une grosse crémière sont les mêmes que ceux qui prennent un coléoptère pour un hélicoptère. Le tout inversement et réciproquement naturellement.

* * *

Les pommes sautées par la fenêtre sont des pommes de terre qui se suicident.

* * *

Les femmes de commerçants qui balaient devant la porte de leur boutique ne sont pas, pour autant, des hétaïres qui font le trottoir.

* * *

Les filles de joie ne sont pas uniquement faites pour ne consoler que les hommes de peine.

* * *

Rien n'est jamais perdu tant qu'il reste quelque chose à trouver.

* * *

Un concerné n'est pas forcément un imbécile en état de siège pas plus qu'un concubin n'est obligatoirement un abruti de nationalité cubaine.

* * *

Si tous ceux qui méritent d'aller se faire voir par les Grecs y allaient tous ensemble et spontanément, la Grèce serait trop petite pour les contenir tous à la fois et en même temps.

* * *

Les réveils triomphants ne sont parfois que des victoires à la Pyrrhus. Poil aux papyrus.

* * *

L'Ecole Normale Supérieure, ou Normal Sup ne prend son sens véritable que par rapport à l'Ecole anormale inférieure, ou anormale inf, d'où sont sortis les lauréats du génocide, du racisme et du totalitarisme.

* * *

Malgré les apparences et en dépit d'elles les Galloromains n'étaient pas des romains qui avaient la gale.

* * *

Qu'on le veuille ou non et qu'on l'admette ou pas : pisser rouge dans un verre de blanc ne donne pas pour autant du vin rosé.

* * *

L'angle est tel qu'on le trace et non tel qu'on le parle.

* * *

Si le dogme de l'Immaculée Conception est évangéliquement et surnaturellement reconnu par l'Eglise catholique, apostolique et romaine, il est démocratique et naturel que celui de la maculée contraception le soit par l'Etat-civil laïque et français.

* * *

Si haut qu'il peut grimper un chemin qui monte n'est rien d'autre qu'un chemin qui descend en sens inverse, et réciproquement.

* * *

Toute femme de ménage chrétienne, croyante et pratiquante a pour évangélique et pieux devoir de ne se placer exclusivement que dans une institution religieuse afin d'être en l'état de grâce nécessaire et suffisant pour regarder le ménage se faire tout seul par l'opération du Saint-Esprit.

* * *

D'après Euclide, le carré est un quadrilatère dont les quatre angles sont droits et les quatre côtés égaux. D'après Sophicléide, le carré est un triangle qui a réussi ou une circonférence qui a mal tourné.

* * *

Il est démocratiquement impensable qu'en république il y ait encore trop de gens qui se foutent royalement de tout.

* * *

L'homme vraiment audacieux est celui qui sait se retourner dans la vie pour faire face à l'existence, au risque de se trouver soudainement et brusquement nez à nez avec ce qu'il a dans le dos. De même, le travailleur véritablement courageux est celui qui ne craint pas de se coucher à côté de son travail pour bien lui montrer qu'il n'a pas peur de lui.

* * *

Je pense souvent, non sans vertige, à la quantité de bœuf et de légumes qu'il faudrait pour faire un pot-au-feu avec l'eau du lac Léman.

● ● ●

C'est quand les carottes sont cuites que c'est la fin des haricots. Et bilatéralement.

● ● ●

A toutes choses égales il vaut mieux s'enfoncer dans la nuit qu'un clou dans la fesse droite, ou gauche selon le cas et les circonstances.

● ● ●

Entre une chaîne de montre et une chaîne d'arpenteur il y a la même différence que celle qu'il y a entre une chaîne d'huissier et une réaction en chaîne.

● ● ●

Celui qui dans la vie, est parti de zéro pour n'arriver à rien dans l'existence n'a de merci à dire à personne.

● ● ●

A l'éternelle triple question toujours demeurée sans réponse : « Qui sommes-nous ? D'où venons-nous ? Où allons-nous ? » je réponds : « En ce qui me concerne personnellement, je suis moi, je viens de chez moi et j'y retourne ».

PENSEES MEDICALES, CHIRURGICALES

ET

PHARMACEUTIQUES

S'il est universellement reconnu dans les milieux médicaux mondiaux qu'Hippocrate est le père de la médecine, on ignore, non moins universellement, qui en est la mère, laquelle, régulièrement ou irrégulièrement, devait, selon toute vraisemblance, être sa femme légitime ou non.

* * *

Je pense en toute logique qu'il ne viendrait jamais à l'esprit d'un médecin soucieux de ses intérêts l'idée saugrenue d'envoyer, à l'occasion du nouvel an, ses vœux de bonne santé à ses clients, à moins qu'il n'ait pris la décision de fermer son cabinet médical, faute de malades à soigner.

* * *

Sur le plan médical des maladies de l'intestin, la constipation est la stricte et rigoureuse contestation de la constitution intestinale et la diarrhée est la débacle totale et la faillite absolue de la constitution intestinale en question.

* * *

Une intervention chirurgicale réussit presque toujours, mais celui qui la subit ne réussit pas toujours à y survivre.

* * *

La prise de sang n'a rien à voir avec la prise de la Bastille, où, d'ailleurs, le sang ne fut pas pris mais versé.

* * *

A titre de renseignement pharmaceutique utile, il est signalé que c'est la pharmacie Lopez qui sera de garde dimanche prochain à Santiago du Chili.

* * *

Pour être valable et concluante une analyse de sang et des urines doit être aussi bien logique que grammaticale.

* * *

C'est quand elle arrive trop tard qu'une intervention chirurgicale est inutile.

* * *

En raison des immenses progrès réalisés dans le domaine de la médecine cosmique de la femme, la gynécologie dans l'espace est pour demain ou après-demain au plus tard.

• • •

Les spécialités pharmaceutiques ne sont pas spécialement réservés aux agents spéciaux des services
secrets.

• • •

La médecine légale concerne souvent des individus plus ou moins illégalement décédés.

• • •

Le Conseil de l'Ordre des médecins, chargé du
maintien de l'ordre public de la santé nationale, donne
des conseils mais n'en reçoit pas, sauf sur rendez-
vous.

• • •

On appelle « Tiercé médical » toute réunion de
docteurs en médecine qui, dans l'ordre, le désordre ou
sans ordre, jouent, au chevet d'un malade qui a une
fièvre de cheval, au jeu des diagnostics pronostiqués
sur l'Hippocratodrome de Lonchamp opératoire.

• • •

La dichotomie est le renvoi de l'ascenseur médical confraternel non conventionné, mais conditionné.

* * *

Tous les actes médicaux ne sont pas apostoliques étant donné que certains ne sont pas très catholiques.

* * *

L'établissement d'un diagnostic précis est un établissement de premier ordre.

* * *

La radiographie c'est le viol légal de l'intimité physiologique.

* * *

Le pire qui puisse arriver à un dermatologue malchanceux, c'est le manque de peau.

* * *

Si, par erreur, omission ou distraction, une cirrhose du foie est traitée par un spécialiste des voies rectales, elle risque fort de tourner à la cirrhose des vents.

* * *

Certaines voies urinaires sont encore plus impénétrables que les voies du Seigneur.

* * *

Une urgence est tout aussi bien un cas nécessitant une intervention immédiate qu'un prétexte sous forme d'appel téléphonique féminin illégitime appelant un médecin hors de son domicile conjugal pour un cas personnel d'urgente nécessité à régler urgemment.

* * *

Malgré les progrès réalisés en chirurgie ophtalmologique, ce n'est pas encore de sitôt qu'il sera possible de pratiquer l'opération de la cataracte sur celle du Niagara.

* * *

Parce que ça dure moins longtemps et que ça ne se pratique pas de la même manière, un lavage d'estomac, pour si désagréable qu'il soit, est tout de même préférable à un lavage de cerveau qui l'est beaucoup plus.

* * *

L'occlusion intestinale c'est, à l'issue de sérieux troubles intestinaux, la privation absolue et rectale de sortie punitivement infligée par le rectorat intestinal aux matières fertilisantes et fécondantes injustement contenues et arbitrairement retenues dans l'intestin consigné jusqu'à nouvel ordre.

* * *

Tout psychiatre compétent sait pertinemment que celui qui prétend être réellement fou ne l'est absolument pas et que celui qui affirme ne pas l'être réellement l'est absolument.

* * *

L'anesthésie générale ne concerne pas seulement celle de la femme d'un général.

* * *

La chirurgie esthétique est une entreprise de ravalement des façades humaines dégradées par le temps afin de réparer des ans l'irréparable outrage.

* * *

L'oto-rhyno véritablement consciencieux est celui qui s'abstient consciemment et scrupuleusement de jouer du cor thyroïde le soir au fond de la gueule de bois des clients qui, la barbiche aux abois, l'ont sacrément par suite d'abus de boissons fortement alcoolisées.

* * *

Les coliques néphrétiques ont pour cause un dérèglement de la machine à calculer les calculs rénaux. Il en va de même pour les coliques hépatiques.

* * *

Tout étudiant en médecine studieux et sérieux doit savoir que ce n'est pas parce que le Canal de Messine conduit les eaux de la mer Tyrrhénienne dans celles de la mer Ionienne et inversement que le canal de l'urètre conduit l'urine hors de la vessie en sens unique et irréversiblement.

* * *

En médecine empirique un bon guéri vaut mieux que deux qui ne le sont pas.

* * *

Contrairement à ce qui a été précédemment signalé, ce n'est pas la pharmacie Lopez, mais la pharmacie Gomez qui sera de garde dimanche prochain à Santiago-du-Chili.

* * *

A l'encontre de ce que racontent certains crânio-logues quelque peu plaisantins et à l'esprit mal tourné, la calvitie n'est pas, pour tout homme calvitié, c'est-à-dire atteint de calvitie, une maladie vénérienne nécessitant l'emploi d'une scie au cours d'une intervention chirurgiciale, pour scier l'objet vicié concerné.

* * *

L'aphorisme de Glockenspiehl qui dit qu'un client mort est un client perdu est compensé par l'apophtegme de Schpatzmuller qui dit qu'un nouveau-né est un client trouvé en puissance de le devenir.

* * *

« Urètre ou ne pas urêtre » c'est la question que se posent les urologues shakespeariens en mal de diagnostic urologique anglo-saxon.

* * *

L'hystérectomie est une opération qui, pour n'être pas du Saint-Esprit n'en donne pas moins la possibilité de pécher sans concevoir.

* * *

L'urémie complétée par fa, sol, la, si, do, passe de l'état de maladie sérieuse à celui de mélodie harmonieuse.

* * *

L'opération de la prostate est une intervention chirurgicale urologique courante qui, pour autant, n'est pas à l'usage courant des prostatitués masculins qui se livrent, publiquement, à la plus éhontée prostatitution.

* * *

Quoiqu'en disent franchement ceux qui pensent faussement, la pharmacopée n'a jamais été la femme du pharmacien de François Coppée.

* * *

La transfusion sanguine est, quoique de genre dif-férent, comparable à la transmission de pensée et appartient, de toute manière aux services des trans-missions.

* * *

En matière glandulaire, il ne s'agit pas, pour un spécialiste des glandes, de glander dans la rue mais de s'affairer dans son cabinet médical.

* * *

L'importance d'une ordonnance médicale se mesure à sa longueur ainsi qu'au nombre quantitatif des médicaments prescrits et est plus ou moins sui-vie à la lettre selon que l'écriture du médecin qui l'a rédigée est plus ou moins lisible.

* * *

Les gaz post opératoires n'ont rien à voir avec le gaz de France, pas plus qu'avec le gaz de Lacq étant donné qu'ils sont exclusivement et inclusivement des gaz d'échappement plus ou moins libres de véhicule abdominal.

* * *

Les électrocardiogrammes et les encéphalogrammes ne dépendent pas, quoiqu'on en puisse penser, des services télégraphiques de l'administration des P.T.T.

* * *

La tension d'un malade est à la mesure de l'attention que lui porte le médecin qui la lui prend.

* * *

On appelait jadis, à tort, maladies honteuses celles qui affectent les organes nobles et les parties généreuses des individus qui en sont atteints.

* * *

La streptomycine c'est la police-secours de l'organisme racialement biotisé et en danger de l'être davantage.

* * *

L'anesthésie c'est l'abolition des privilèges de la sensibilité.

* * *

Celui qui, en fonction de son esprit inventif inventera le pare-choc opératoire aura bien mérité que son nom brille au fronton des blocs de même nature.

* * *

Une bonne opération chirurgicale n'est pas toujours une bonne opération financière pour celui ou celle qui en a été l'objet.

* * *

Une bonne intervention parlementaire vaut mieux qu'une bonne intervention chirurgicale, ce qui, pour autant, ne met pas un bon parlementaire à l'abri d'en subir une bonne.

* * *

En raison du décès subit du pharmacien Gomez qui devait remplacer le pharmacien Lopez, il n'y aura pas de pharmacie de garde dimanche prochain à Santiago-du-Chili.

* * *

La paracentèse est une opération chirurgicale qui consiste à pratiquer une ouverture afin de retirer le liquide qui s'est amassé dans une cavité naturelle et non une thèse d'escale qu'on fait passer à une centaine de parachutistes qui ont trop absorbé de liquide dans une cave sans autre ouverture que celle de la porte qui la ferme naturellement.

* * *

Les guérisseurs vraiment sérieux et véritablement doués sont les roues de secours officieuses de dernier ressort des moyens de transport de la médecine officielle en difficulté.

* * *

J'ai connu et vu un chirurgien aussi éminent qu'habile, et réciproquement, mais qui avait la vue extrêmement basse, procéder, en toute bonne foi, à l'ablation des testicules d'un client venu simplement pour se faire opérer des amydales.

* * *

La biologie est à la recherche médicale organique ce que les services spéciaux sont à la recherche des éléments suspects à la solde d'organismes étrangers.

* * *

Quand un hémorroïde externe manifeste le désir de faire son internat, c'est la porte ouverte à la thrombo-phlébite par suite de l'orgueil démesuré des veines exagérément gonflées à bloc.

* * *

L'occlusion intestinale c'est l'interdiction formelle de sortir après la fermeture des bureaux d'études anales, des anneaux de torsion, par volvulus organique.

* * *

La pédérastie est une thérapeutique empirique, mais peu recommandable en ce qui concerne le traitement de l'occlusion intestinale.

* * *

La pédiatrie c'est l'art médical noble et généreux d'empêcher l'enfance de vieillir avant l'âge.

* * *

D'après la théorie des frères Julius et Amédéus Schpotzermann plus un malade file un mauvais coton plus il donne du fil à retordre aux praticiens qui s'occupent de sa bobine et de son bobinage organique.

* * *

Les docteurs licenciés ès-science médicale ne sont pas, pour autant, autorisés à tenir des propos ni à se livrer à des actes licencieux et envers leur clientèle, tant féminine que masculine pas plus qu'ils ne sont des praticiens foutus à la porte de l'ordre des médecins justement et à cause de ça.

* * *

La greffe des organes n'a rien à voir avec le greffe du tribunal de première instance, mais tout avec celui de dernière insistance.

* * *

L'autopsie est le seul acte médical de médecine légale qui se pratique sur les motifs de l'ouverture en dalle mineure (opus defunctus 1549 et la suite) d'Ambroise Paré.

* * *

L'appendice c'est le post-scriptum de l'organisme.

* * *

En vérité médicale critique et analytique, les coliques hépatiques sont des coliques prétentieuses dont le seul objectif est d'épater la galerie biliaire et les paisibles pêcheurs de calcul du canal cholédoque alors que les coliques néphrétiques n'ont pour autre ambition que celle de ne pas effrayer les inoffensifs pêcheurs de combinaison du canal de l'urètre.

* * *

Dans l'intérêt de la sécurité routière hématologique, j'estime et trouve, et réciproquement, que les excès de vitesse de sédimentation doivent être sévèrement réprimés par les agents pathogènes de la police sanguine.

* * *

A la faculté de médecine et de pharmacie, il est communément admis que les comprimés ne sont pas systématiquement des imbéciles diplômés.

* * *

En médecine policière une fausse piste n'est pas forcément d'origine blennhoragique.

* * *

La stérélisation des instruments de chirurgie n'entraîne pas, pour autant, la stérilité du chirurgien qui les utilise.

* * *

La collibacillose est l'ensemble des affections morbides causées par le colibacille et non l'envoi d'un colis de bacilles à quelqu'un au bide duquel on en veut morbidement.

* * *

La recherche médicale a pour objet la découverte de nouveaux modes de traitement et non celle de nouveaux clients.

* * *

Un bon bilan de santé est celui dont le taux d'urée n'est pas usuraire.

* * *

Une injection médicamenteuse est la conséquence d'une franche injonction médicale.

* * *

L'art dentaire consiste à soigner les dents des clients et non à soigner la mise en terre des corps des défunts.

* * *

La stomatologie est une partie de la médecine qui étudie la bouche et ses maladies et non une étude culinaire pour faire de la sauce tomate logique en tout ou en partie.

* * *

L'aspirine n'est pas à l'usage exclusif des aspirants de marine, pas plus que la terpine ne l'est à celui des phénomènes masculins anormalement sexués triplement.

* * *

Les gardes de nuit des hôpitaux et des cliniques sont les équivalents des gardes à vue nocturnes dans les locaux de la Police judiciaire.

* * *

L'accouchement sans douleur va de pair avec le plaisir de la conception.

* * *

Il est fortement question, dans les milieux gynécologiques catholiques, d'instituer la fête de l'Immaculée Contraception pour célébrer la canonisation de la pilule anticonceptionnelle.

* * *

Malgré les progrès réalisés en gynécologie on n'a pas encore trouvé les moyens de l'accouchement sans douleur du portefeuille.

* * *

L'état de santé d'un sortant d'une clinique marchandesoupière est en fonction de celui en lequel il se trouve à sa sortie après règlement de sa note.

* * *

Les honoraires médicaux sont rarement honorifiques.

* * *

Les rhésus sanguins appartenant au groupe électrogène sanguinaire indépendant ne sont pas avalisés par la banque du sang.

• • •

En dépit de leur nom tous les virus ne sont pas des sexes masculins d'origine soviétique.

• • •

Je ne parviens pas à comprendre pourquoi, dans les pharmacies, on ne trouve pas des suppositoires au goût rectal du client, c'est-à-dire à la vanille, au café, au chocolat, praliné ou pas, panachés, au moka, à la fraise, à la pistache, à la framboise, au citron, à l'orange et même au bouillon de légumes ou d'onze heures.

• • •

Dans un centre plus ou moins hospitalier, le patient qui attend un calmant qui tarde à venir a parfois bien du mérite à l'être.

• • •

La fébrilité d'un patient qui s'impatiente est proportionnelle à la tranquillité du médecin qui l'examine.

• • •

Les patrons de la médecine psychiatrique patronnent les travailleurs du chapeau.

* * *

Les suppositoires à la nitroglycérine sont beaucoup plus efficaces que ceux à la glycérine pure, mais se révèlent beaucoup plus bruyants.

* * *

Les fractures du col du fémur, de l'humérus, du péroné et du radius sont souvent consécutives à des chutes faites dans les cols abrupts et à pic des Alpes, des Pyrénées, des Karpathes et du Thibet.

* * *

la suite du subit décès du pharmacien Gomez et afin de ne pas laisser la population de la capitale chilienne privée de ravitaillement pharmaceutique dominical, c'est tout de même la pharmacie Lopez qui, de gré ou de force, sera de garde dimanche prochain à Santiago-du-Chili.

* * *

Dans le domaine radiologique les praticiens qui interprètent les clichés ne parlent pas tous la même langue, et, de ce fait les traduisent différemment, bien que certains soient polyglottes et polyvalents.

* * *

A la décharge et à l'excuse des radiologues, il faut bien reconnaître en le constatant, et réciproquement, que quand les rayons x se mettent en y ou en z, ils ont bien du mérite et un sacré mal de chien pour les remettre à leur place de vingt-quatrième lettre de l'alphabet radiographique.

* * *

Contrairement à ceux qui croient le contraire, les perfusions ne sont pas des effusions de père de famille.

* * *

Les antibiotiques sont des médicaments qui s'opposent à la vie de certains micro organismes alors que les antisémites sont des racistes qui veulent la mort de tous les israëlites qui parlent au micro des organismes radiophoniques.

* * *

Les barbituriques sont des sédatifs et des somnifères et non des barbus ictériques et hystériques.

* * *

Pour un malade à toute extrémité, l'onction médicale de dernier ressort est en rapport direct avec l'extrême onction sacerdotale.

* * *

Il est plus facile d'attraper les oreillons par contagion qu'un moustique au lasso par occasion et par surprise.

* * *

Les spécialistes de la médecine et de la chirurgie générales sont ceux qui ne s'occupent que de ce qui les regarde de face, de dos, de 3/4 ou de travers en ce qui concerne les cas ressortissants de leur spécialité professionnelle.

* * *

En stratégie tactique médicale militaire, un général endormi n'est pas règlementairement et hiérarchiquement sous l'effet d'une anesthésie générale.

* * *

Les microbes résistants sont ceux qui se réfugient dans le maquis de l'organisme.

* * *

Pour le médecin de quartier un cas médical sujet à caution est un cas médical sujet à potion. Pour le médecin de campagne un cas médical campagnard est un cas médical sujet à campagne médicale, et si, le cas échéant, le médecin de campagne est candidat à la municipalité, le cas campagnard médical est sujet à campagne électorale municipale.

* * *

Quand une hernie est étranglée c'est à la police herniaire qu'il incombe de mettre l'étrangleur coupable de ce criminel étranglement en état d'arrestation afin de le livrer à la justice hernieuse.

* * *

Je me suis souvent demandé et me le demande souvent encore ce qui peut bien différencier une mauvaise bronchite d'une bonne.

* * *

Il est tout de même étrange que le mot « affection » signifie aussi bien attachement, amitié et tendresse que maladie grave, aiguë ou chronique.

* * *

La plus grave erreur et la plus lourde faute que puisse commettre un chirurgien distrait est de remplacer, au cours d'une greffe organique, le duodénum d'un client par le quator de Rigoletto de Verdi. Poil aux étourdis.

* * *

A la suite du service de garde ordonné contre le gré de son propriétaire, la pharmacie Lopez est en vente depuis dimanche dernier à Santiago-du-Chili.

PENSEES

SUR

L'OR ET L'ARGENT

« Qui a l'or sait y faire » dit un proverbe aurifère qu'il ne faut pas confondre avec le « qu'alors y faire » proverbial des appareils de chauffage éculés et dépassés.

* * *

Ceux qui prétendent que l'argent n'a pas d'odeur auraient intérêt à consulter un expert spécialiste de l'odorat financier.

* * *

Ceux qui sont couverts d'or ne sont pas forcément immunisés contre le risque d'être désargentés un jour ou l'autre.

* * *

Mettre de l'argent de côté pour l'avoir devant soi, est, pour paradoxale qu'elle soit, une façon comme une autre d'assurer ses arrières à effet de ne pas l'avoir dans le dos.

* * *

L'or noir blanchit l'âme hydrocarburée des magnats du pétrole en les enrichissant.

* * *

L'argent fond dans les mains plus ou moins rapidement selon qu'il brûle les doigts plus ou moins fortement.

* * *

Dans notre société de consommation et d'épargne un homme qui a de l'argent est un homme considéré. Un homme qui n'en a pas est également un homme considéré, mais lui, comme un pauvre type.

* * *

Ceux qui sont pétris d'or et pourris d'argent se décomposent en conséquence proportionnelle.

* * *

Vouloir rester pauvre d'argent, c'est faire preuve de richesse de cœur.

* * *

Le mal d'argent c'est la scepticémie des pauvres.

* * *

Les caves de la Banque de France contiennent les réserves d'argent que les affranchis du milieu ont cravatées aux caves qui se sont fait posséder par eux.

* * *

En matière d'argent, la cavalerie c'est la troupe montée sur bête de somme totale et qui tire par traite de complaisance à plus ou moins longue portée.

* * *

Conserver imprudemment chez soi de grosses sommes d'argent liquide, c'est s'engager dangereusement dans une voie d'eau lourde de conséquences.

* * *

Je me suis souvent montré surpris et étonné que l'argent liquide ne puisse être tiré à la pression.

* * *

La bonne et sacramentale administration de l'argent consiste à lui éviter l'extrême onction.

* * *

Il vaut mieux devoir de l'argent à quelqu'un toute sa vie durant plutôt que de lui faire tort d'un centime tout au long de son existence.

* * *

Ne pas rendre son argent à celui qui vous l'a prêté, c'est croire à un don du ciel.

* * *

Le trafic de l'or et de l'argent n'est pas incompatible avec le trafic ferroviaire, routier, maritime et aérien.

* * *

C'est parce que l'or est bon conducteur de la chaleur et de l'électricité qu'il peut mener indifféremment à la fortune ou à la ruine.

* * *

Quand l'or est en baisse l'argent s'affaisse et ceux que ça affecte en tombent sur leurs fesses.

* * *

Bien qu'étant inattaquable aux acides, l'or est néanmoins soluble dans un mélange d'acide azotique et d'acide chlorydrique ou eau régale ce qui explique et démontre que ceux qui en possèdent s'en régalent oxygéniquement et épisazotiquement.

• • •

C'est généralement ceux qui ont un cœur d'or qui ont l'argent le plus facile.

• • •

Si l'or porte le numéro atomique 79, l'argent n'est pas atomiquement immatriculé. C'est pourquoi, dans les milieux aurifères, l'or est considéré comme étant d'Immaculée Conception et l'argent, dans les milieux argentifères comme étant d'Innimatriculée contraception.

• • •

Pour avoir beaucoup d'or il faut posséder pas mal d'argent. Et réciproquement.

• • •

Si l'argent est le nerf de la guerre, l'or en est le muscle.

• • •

L'or en barre c'est de l'argent en broche.

PENSEES

ET

POINTS DE VUES

CINEMATOGRAPHIQUES

Les sous-titres français d'un film étranger tourné en version originale ne sont pas tous rédigés par des sous-officiers de l'armée française.

* * *

Les versions originales des films originaux ne sont pas toutes des versions grecques ou latines.

* * *

Un bon scénario de cinéma ne comporte pas forcément des scènes à Rio de Janeiro.

* * *

Si Galilée revenait sur terre il s'écrierait devant une mauvaise comédienne de cinéma : « Et pourtant elle tourne ! »

* * *

Le comble, pour un metteur en scène distrait, c'est de mettre une comédienne enceinte au lieu de la mettre en scène. Ce qui, toutefois et de toute manière, n'est pas incompatible.

* * *

En langage de cinéma ferroviaire, quand un film est bien mis sur les rails, on appelle locomotive une grosse vedette qui siffle trois fois entre chaque arrêt de prise de vues.

* * *

Je considère comme étant infiniment regrettable le fait que dans un western massacré son producteur n'ait pas été massacré par les Indiens.

* * *

Les films d'action créent des obligations aux acteurs qui les tournent.

* * *

Il ne faut pas confondre les films de science fiction, où l'on voit parfois des scènes dont la réalité dépasse la fiction avec les films publicitaires où l'on voit souvent des coiffeurs affirmer que le shampoing dépasse la friction.

* * *

En jargon maraîcher de cinéma légumier, un **navet** est un film dont les carottes sont tellement cuites que la fin de ses haricots est proche.

* * *

Le véritable cinéma vérité est celui qui donne au spectateur la vraie sensation qu'il se trouve ailleurs que là où il est assis.

* * *

Le succès ou l'échec d'un film à grande figuration dépend souvent de la gueule que font les figurants selon l'importance ou la modicité des cachets qu'ils touchent.

* * *

On désigne généralement sous le nom de films sexy ceux qui sont spécialement réservés aux sexonomiquement faibles et à ceux que, par délicat euphémisme on appelle les sous-développés sexuels.

* * *

Un bon truqueur de films est capable de faire prendre l'ancienne Belgique pour le nouveau Mexique de même qu'un habile cascadeur est capable de faire une chute de cheval dans les chutes du Niagara sans trop se mouiller ni trop se faire de mal.

* * *

Le cinéma total, absolu et sans concession, c'est le cinéquanon.

* * *

Les oscars sont attribués dans l'ordre cinématographique suivant :
L'oscarbonate de soude au film le plus indigeste des films difficiles à digérer.

* * *

L'oscaravancéraille au meilleur film d'avant-garde d'humour noir en couleurs.

* * *

L'oscar du meilleur réalisateur au réalisateur qui réalise qu'il aurait mieux fait de réaliser un autre film que celui qu'il a réalisé.

* * *

L'oscar de la meilleure prise de vues au cameraman qui ne prend pas les vues du Caire pour les verres du cultivateur égyptien myope qui cherche ses lunettes au pied des Pyramides.

* * *

L'oscar de la pellicule au film le mieux tiré par les cheveux sales.

* * *

L'oscar de la meilleure interprétation masculine au meilleur interprète polyglotte masculin.

* * *

L'oscar de la meilleure interprétation féminine à la femme du précédent.

* * *

L'oscar d'heure de Rabelais au film qui en fait passer un mauvais aux spectateurs.

* * *

L'oscar de la critique au meilleur critique de cinéma qui critique en bien ou en mal tous les films sans en avoir jamais vu aucun.

* * *

L'oscardavous au meilleur film militaire de carrière cinématographique.

* * *

L'oscar de gnôle au meilleur film de guerre.

? * *

L'oscar du film policier au meilleur film documentaire consacré à l'élevage des poulets.

* * *

L'oscaramouche au film de cape et d'épée qui donne le mieux à la prendre aux spectateurs.

* * *

L'oscardinal au meilleur film consacré au Sacré-Collège et à caractère œcuménique.

* * *

L'oscardiologue au meilleur film sentimental qui a provoqué le plus de battements de cœur à son producteur.

* * *

L'oscardigan au meilleur film éducatif qui traite de la fabrication des chandails de laine à manches longues et à col droit se fermant au milieu du devant avec des boutons ou une fermeture à glissière.

• • •

Et enfin

• • •

L'oscar de Brie au meilleur film documentaire sur le fromage du même nom tourné à Melun et pas à Melautre.

PENSEES

SUR

L'AMOUR ET SES AFFLUENTS

D'après le théorème de Schpotzermann, inspiré du principe d'Archimède et d'après mon expérience personnelle, l'amour physique se définit comme suit : « Tout corps humain plongé dans un autre après avoir subi une plus ou moins forte poussée plus ou moins horizontale dirigée d'arrière en avant et alternativement perd une partie de son fluide égale au poids du volume qu'il déplace ».

• • •

Dans le domaine de l'amour physique, une promesse non tenue est une tenue blanche.

• • •

L'aboutissement normal de tout phénomène de synthèse érotico-sentimentale ne peut être court-circuité que par suite d'une panne de secteur d'un des deux éléments de contact.

• • •

L'amour paternel et l'amour maternel sont les deux mamelles de l'amour filial.

* * *

L'attraction mutuelle et réciproque de deux êtres d'appartenance sexuelle différente est la résultante du passage de deux courants qui traversent leurs éléments de contact, qu'ils soient alternatifs ou continus.

* * *

Quand les pôles d'attraction de deux êtres se rejoignent brusquement l'étincelle produite par le choc allume le feu qui fait fondre la glace des apparentes et éventuelles frigidités.

* * *

Pour que l'amour conjugal ne sombre pas dans la routine, il importe que ses rapports soient rédigés dans un style différent de celui employé dans la rédaction des actes de consommation courante.

* * *

Les chromosomes sont les tickets modérateurs de la génération tant spontanée qu'universelle.

* * *

L'amour platonique est à l'amour charnel ce que l'armée de réserve est à l'armée active.

* * *

La prostitution c'est l'armée de métier de l'amour vénal dont la discipline vénalement consentie fait la force principale.

* * *

C'est quand l'amour fou pique une crise de folie furieuse qu'il faut passer la camisole de force aux sentiments délirants.

* * *

C'est l'amour explosif qui fait sauter les boutons de braguette.

* * *

Les préservatifs sont les accessoires de l'amour masqué.

* * *

En amour, tant conjugal que social, seuls les membres actifs ayant régulièrement cotisé à sa caisse centrale ont droit à une honorable retraite proportionnelle.

* * *

Un amour qui renaît de ses cendres, n'était qu'un amour en hibernation.

* * *

Il n'y a toujours, presque jamais personne à l'enterrement d'un amour mort.

* * *

Les amours d'enfant ne sont pas des amours d'éléphant. Et réciproquement.

* * *

L'amour est complet quand il n'y a plus de place à l'intérieur du cœur.

* * *

Ceux et celles pour qui l'amour consiste uniquement à s'envoyer en l'air ont intérêt à ouvrir leur parachute pour freiner la descente.

* * *

Quand deux conjoints sont en état de rupture, c'est que le joint de culasse de leur amour conjugal a sauté.

* * *

En amour offensif, quand les cœurs battent la charge, c'est le signe de l'assaut final donné à la position à enlever.

* * *

En amour générateur, une position intéressante est rarement une situation de tout repos.

* * *

Quand le clairon de l'amour sonne l'extinction des feux amoureux, la démobilisation générale des sens n'est pas loin d'être décrétée.

* * *

Les grévistes féminines de l'amour aristophanes-
que, furent, en leurs temps antique, les incondition-
nelles de la Vme république de Lysistrata.

* * *

Les disciples de Lesbos, à l'encontre et en dépit des râgots antiques, n'étaient pas toutes des mauvai-
ses langues, tant s'en faut.

* * *

Les masochistes de l'amour sont les naufragés du radeau de l'aréthuse.

• • •

L'amour est parfois une aventure dont certains n'en reviennent pas d'être revenus.

• • •

L'amour vénal c'est le marché commun de la sensualité à titre onéreux.

• • •

L'amour gratuit c'est le don de soi-même à titre gracieux.

• • •

Si, par malheur, Claude Debussy avait été frappé d'impuissance créatrice, il n'est point douteux qu'à la place du Prélude à l'après-midi d'un faune, il eut écrit le Prélude à la soirée d'un sexe aphone.

• • •

Si l'amour est une chanson de **charme**, il sait être aussi une chanson de gestes.

• • •

Si profondément humain et altruiste qu'il soit, l'amour du prochain masculin ne doit cependant pas aller jusqu'à vouloir passer à la postériorité.

• • •

Quand le passif d'un amour dépasse son actif, c'est la faillite de cet amour ou, tout au moins, le dépôt de son bilan amoureux.

• • •

Dans le domaine de l'amour homosexuel, il ne faut pas confondre prédestination avec pédestination, encore que tout homme peut être pédéraste par voie étroite de prédestination pédéstinée.

• • •

Sur le plan de l'amour lesbien, l'Histoire des Croisades ne dit pas si la femme de Godefroi de Bouillon, surnommée Godchau de Bouillonne, en raison de son tempérament bouillonnant, utilisait, solidement et fidèlement fixé à sa ceinture de chasteté, un instrument phallique dont la première syllabe du nom correspond à celle du prénom de son féal époux. les deux autres étant celles d'un petit broc connu sous le nom de pichet, avec un M à la place du P, pour saphostiquer ses dames d'atours en l'absence de son seigneur et maître, motivée par sa présence en Terre sainte pour y combattre les infidèles.

* * *

Un amour débordant, c'est un torrent qui sort de son lit pour entrer dans un autre.

* * *

Les prémisses de l'amour sont les amuse-gueule du festin de volupté.

* * *

Ce n'est pas parce qu'un amour est éperdu qu'il est perdu pour tout le monde.

* * *

L'amour caché c'est de la dissimulation de fonds secrets non déclarés.

* * *

L'amoureux solitaire est le plus souvent un naufragé du cœur involontaire.

* * *

L'amour qui se déchaîne, c'est un fleuve en crue qui ne se contrôle plus.

* * *

Un amour partagé n'a, paradoxalement, qu'une demi-valeur d'apriorisme.

* * *

Les audacieux en amour sont les meilleurs vendeurs de prêt-à-porter sur le lit.

* * *

Quand on fait l'amour en chantant, il faut s'efforcer de chanter juste sans quoi on risque de faire des fausses notes qui flanquent par terre la chanson amoureuse.

* * *

L'amour ne se mouille jamais dans les cœurs desséchés.

* * *

Les déclarations d'amour ne sont pas incompatibles avec les déclarations de revenus, bien que ce soit rarement avec amour qu'on rédige celles-ci, sauf quand on est vicieux.

* * *

Aux postes de la douane amoureuse, les douaniers de l'amour postés sur la frontière qui sépare l'amour vrai de l'amour faux veillent sévèrement à ce que des amoureux clandestins ne passent pas en fraude de l'amour de contrebande.

* * *

L'amour qui fait du porte-à-porte, le fait ainsi et de la sorte pour faire du lit-à-lit et du couche-à-couche.

* * *

Entre l'amour au mois complet et l'amour à l'année entière, il y a l'amour à la petite semaine.

* * *

En amour tous les coups sont permis, même et surtout les plus bas qui sont spécialement recommandés.

* * *

Un amour mort et réduit en cendres ne se met pas en terre, mais se disperse au vent.

* * *

Quand on aime on a toujours vingt ans et quand on a vingt ans on aime toujours.

* * *

Quand l'amour bout à gros bouillons, c'est qu'il transpire parce qu'il a beaucoup trop chaud.

* * *

Pour un homme impulsif et spontané en amour instantané et irraisonné, jeter subitement et brusquement son dévolu sur une femme qui lui plaît beaucoup ne l'autorise pas, pour autant, à la jeter soudainement et brutalement par la fenêtre quand elle ne lui plaît plus du tout.

* * *

Faire l'amour sur un cheval, sur une balançoire, sur une échelle, sur une planche à bascule ou au bord d'un toit en pente, c'est risquer amoureusement, mais dangereusement de se casser vachement la gueule.

• • •

Pour qu'une nuit de noces soit vraiment nuptiale, il faut qu'elle se déroule à la lumière tamisée de l'obscure clarté des 36 chandelles de l'amour conjugal.

• • •

La contraceptivité volontaire dans l'acte d'amour, c'est le repli organisé sur des positions préparées à l'avance ou de la marche arrière préméditée.

• • •

L'amour strictement conformiste, c'est la bureaucratie amoureuse. Par contre, l'amour systématiquement anticonformiste, c'est l'anarchie des sens.

• • •

Si l'amour possédait un sixième sens, il percevrait un impôt sur les cinq autres.

• • •

Le viol, c'est l'amour par effraction.

• • •

La sensualité pure, c'est l'eau lourde de l'amour.

* * *

Les chants d'amour les plus harmonieux sont ceux qui sont accompagnés par un orchestre de musique de chambre à coucher.

* * *

Les arpèges amoureux sont, en attraction passionnelle, les montagnes russes de l'amour.

* * *

Quand un ténor de l'amour commence à chanter faux, c'est que la voix de basse déchantante le guette.

* * *

La musique sacrée ne concerne que l'amour divin, ce qui n'est pas une raison pour massacrer la musique profane par amour excessif de la musique divine.

* * *

S'aimer toujours, pour nombre de couples, ne signifie pas, pour autant, s'aimer à jamais.

* * *

Aujourd'hui, en amour, on ne fait plus la cour à une femme, on bouscule son jardin.

* * *

L'amoureux solitaire épris de narcissisme fait toujours bande à part.

* * *

L'amour sans passion, c'est une reforme sans
pension.

* * *

Le service de l'amour n'est actif que dans la
mesure où il possède suffisamment de réserves pour
ne pas être versé dans la territoriale.

* * *

On ne badine pas avec l'amour, a écrit Musset,
mais moi je dis qu'il y a des vicieux qui font l'amour
avec une badine et même avec une trique.

* * *

Quand deux êtres convolent en justes noces pour
voler vers l'amour conjugal, le ministre du culte qu'ils
ont embrassé à effet de bénir leur union convolante
est désigné par le ministère de l'air.

* * *

Après avoir consulté attentivement et scrupuleusement le manuel du service conjugal en campagne
amoureuse, j'en infère et déduis que le Conseil général, le conseil municipal, le conseil des ministres et le
conseil de sécurité de l'organisation des nations unies
n'ont pas de conseils à donner aux jeunes mariés.

* * *

En amour qualitatif et numérique, tirer un bon
coup avec un bon numéro, c'est agréable. En tirer un
mauvais avec un numéro qui ne vaut pas mieux, ça
l'est beaucoup moins.

* * *

Le démon de midi arrive souvent à 14 heures.

* * *

Le tendre et nuancé : souffrez, madame, que je
vous fasse offrande des flammes amoureuses de mon
cœur embrasé » du temps de Marivaux, a fait place au
brutal et direct : « alors, mignonne, on casse un œuf
ou on trempe la soupe ? » de nos jours sans nuance.

PENSEES MAGISTRALES

SUR

LA JUSTICE, LE BARREAU

ET LA MAGISTRATURE

La justice c'est l'art noble et sacré de rendre équitablement et sereinement à César ce que Pompée lui a barboté.

* * *

Si la justice est parfois si lente à être rendue, c'est que bien souvent les magistrats, ne sachant pas quoi en faire, hésitent entre la rendre ou la garder pour eux.

* * *

Un avocat à la Cour ne l'est pas forcément au jardin, sauf si c'est pour y plaider, en appel, la cause des arbres injustement condamnés à être abattus par un tribunal incompétent en matière forestière.

* * *

La magistrature debout est ainsi appelée parce qu'elle est à court d'assise et la magistrature assise est ainsi appelée parce qu'elle n'est pas à court de siège de magistrat du même nom pour s'asseoir, ce qui lui évite de se répandre sur le Parquet de la Seine et sur celui de tout autre département.

* * *

En dehors de la magistrature debout et de la magistrature assise, il existe, rarement heureusement, d'autres formes de magistrature, à savoir : la magistrature à genoux, à croupetons, sur le dos, à plat ventre et roulée en boule, qui sont cause que, parfois la justice est boiteuse.

* * *

Les magistrats du siège siégeant au sein d'une forteresse judiciaire assiégée ont pour devoir impératif de l'occuper catégoriquement en s'écriant, énergiquement, à l'instar du maréchal de Mac-Mahon : « J'y suis j'y reste ».

* * *

Les avocats sans cause sont les eunuques du harem judiciaire.

* * *

J'ai retrouvé, dans le supplément illustré en couleurs des annales judiciaires, la trace d'une grave affaire de mœurs aériennes qui se termina par la condamnation à cinq ans très ferme de prison sexuelle d'un satyre pilote breveté qui pratiquait le viol à voile et à poil avec une incroyable audace et avec son instrument de bord intimement personnel spécialement conçu et particulièrement réservé à cet effet satyrique.

• • •

On dit d'un accusé qu'il est cuit quand son avocat n'est pas cru.

• • •

C'est quand les jurés font leurs comptes à rebours que les résultats de leurs délibérations donnent des verdicts à l'envers.

• • •

En justice expéditive et accélérée, un jugement rendu à la va-comme je te rends est souvent la conséquence d'un procès mal digéré.

• • •

Dans le domaine du barreau, l'honneur d'un bâtonnier est de ne jamais se faire des retours de bâton.

• • •

La barre des témoins, au cours d'un procès, est aussi bien une barre d'appui pour l'accusation qu'une bouée de sauvetage pour la défense.

* * *

En bonne justice, il est rare qu'une cause perdue soit jamais retrouvée.

* * *

En principe majeur judiciaire le procureur général est l'agent de publicité de la peine capitale.

* * *

Dans l'enceinte d'un tribunal, les effets de manche des avocats sont comparables aux coups de sirène des bateaux qui la traversent.

* * *

Le fait que les frais de justice ne soient pas remboursés par la sécurité sociale constitue une flagrante injustice.

* * *

Quand, au cours d'un procès en appel, le procureur général abandonne l'accusation, il est plutôt rare que celle-ci soit recueillie par l'assistance publique.

* * *

Les attendus du jugement d'un procès réservent parfois des conclusions inattendues à l'arrivée.

• • •

En justice de série, si l'on n'a pas toujours raison d'avoir tort on a souvent tort d'avoir raison.

• • •

Un ménage d'avocats est un ménage à trois : lui, elle et le client.

• • •

La justice immanente est rarement imminente.

• • •

En justice criminelle le droit commun est ainsi appelé parce qu'il n'est pas distingué.

• • •

Le Droit criminel ne signifie nullement qu'on ait le droit de commettre un crime.

• • •

Il est préférable pour un auteur à scandale d'être traduit en plusieurs langues plutôt qu'en correctionnelle.

* * *

Un jugement cassé donne parfois bien du plâtre à gâcher aux magistrats chargés d'en réduire la fracture.

* * *

Plus la robe d'un avocat est longue plus ses plaidoieries sont courtes et réciproquement.

* * *

Quand le filet à provisions des hommes de loi est bien garni, la cause qu'ils défendent à tout à gagner et eux rien à perdre.

* * *

En langage judiciaire, il n'est nullement péjoratif de dire que plus une affaire est pendante plus il est difficile de la redresser.

* * *

On a vu des Hautes Cours de Justice se transformer en basses-cours de police.

* * *

Pour l'homme de loi prévoyant, une mince provision en liquide vaut mieux qu'un gros chèque sans provision.

* * *

En justice correcte et régulière un serment prêté n'est jamais rendu. Par contre une parole donnée, même d'honneur, peut être reprise, et l'est souvent, à la première occasion donnée pour la reprendre.

* * *

Si le nombre pair de douze a été fixe pour chiffrer le total des membres d'un jury d'assises, c'est pour éviter à celui-ci de commettre un impair.

* * *

Quand la justice n'est pas juste l'injustice est exacte.

* * *

En stricte et rigoureuse justice, les condamnés qui bénéficient d'une remise de peine ont parfois bien du mal à s'en remettre.

* * *

En justice préalable et préventive, tout individu relaxé après 48 heures de garde à vue a besoin d'une bonne quinzaine de jours de repos pour se relaxer tant physiquement qu'intellectuellement à effet de se remettre au garde à soi.

* * *

En justice courante et cavalante, si tous les prévenus l'étaient à temps, le banc des accusés serait souvent vide.

L'ART ET LA MANIERE

D'ACCOMMODER UNE THESE

C'est par un certain soir calme et serein du doux et paisible automne égéen, c'est-à-dire à l'époque idyllique des vendanges olympiques, alors qu'il en tenait une septime particulièrement sévère sur la colline de Lycabelle qui fait face à l'Acropole et pile à l'acropière, que Mordicus d'Athènes, l'illustre philosophe ivrogne grec et célèbre fondateur de la fameuse Ecole éthylique épique éthique, lequel vécut de 186 à 83 au fond de la 2me cour à droïte av. J.-C., dit à ses disciples assemblés pour se réunir afin de boire ses paroles et s'abreuver de son vin de Picole : « Rien ne sert de soutenir ce qui ne tient pas debout, poil aux marabouts ».

Aussi est-ce en vertu de cet admirable et combien édifiant apophtegme que j'ai entrepris d'écrire une thèse sur l'art et la manière d'accommoder une thèse, poil aux métathèses.

Tout d'abord et avant tout, il est juste et honnête, poil aux proxénètes, tel est du moins mon sentiment, poil aux condiments, de ne pas craindre de dire que font fausse route philosophique et phylogénique les faibles en thèse et tous thésophobes hostiles aux thèses, autrement dit les antithèses, qui s'imaginent à tort et sans raison que produire et soutenir une thèse est chose aisée, sinon facile. Poil aux imbéciles. C'est là faire preuve d'une candeur plus ou moins naïve et d'une ignorance plus que mains crasse. Poil au pancrace. Par contre, les forts en thèses et tous thésophiles résolus, les fans de thèse, comme on les appelle sur les bords de Méditerranée et aux abords des contreforts des Pyrénées, savent, eux, ce que ça représente d'efforts de coffre et de consommation de matière première grise. De quoi en garnir plus que largement la table des matières cérébrales et les lits des chambres de réflexion, soit dit en vérité philosophique et en réalité psycholinguistiques. Poil aux produits pharmaceutiques. Sans parler des trésors plus ou moins cachés d'imagination qu'il faut déployer à hémisphères plus ou moins magdebouriques pour s'exercer et tout ce à quoi il faut ou ne faut pas penser et à tout ce qu'il convient d'y mettre ou de n'y pas introduire, poil au permis de conduire. Car, qu'on le veuille ou non, c'est bien là qu'est la question, comme le fait dire, à peu de chose près, Shakespeare, à Hamlet, d'après saxo grammaticus.

Sans compter les obstacles qui se dressent un peu partout sur les champs de courses thésorifères et les écueils semés, peut-être un peu moins partout mais bien davantage que partout ailleurs, par des semeurs de pommes de terre de discorde d'autant plus dangereux qu'ils sont plus redoutables. Des véritables pièges à complications, comme on dit en langage théso-graffitique. Poil aux produits synthétiques.

Car telle est la tenue de thèse réglementaire de rigueur qu'il convient d'adopter en thésocrapotique conjoncture d'occurence thésophilique et thésophtal-mique, c'est-à-dire qu'elle est sans concession ni con-fection puisque c'est sur mesure de rasure sans vice de procédure ni défaut d'embrasure que doit être bâtie toute thèse soucieuse de son harmonieux développe-ment de l'élégance de son style et de l'aspect de sa ligne d'horizon thésogyroscopique. Poil aux observa-tions téléscopiques.

Car tout thésocrate conscient et organisé, ainsi que thésocratiquement thésocraté se doit de confes-ser que ce n'est pas Thésée, le glorieux héros demi légendaire hellénique, bien connu de la moitié des commerçants du centre de son quartier périphérique, mais Dieu le Père, Lui-même, qui en sa divine et thé-socratienne Personne a énoncé la première thèse, celle de la création du monde en son total universel absolu. La plus grande thèse « in the world », comme on dit à l'Université de Harvard, dans le Massachus-sets, aux Etats-Unis, et « in the froc », comme on dit à l'école communale de la rue des Hospitalières Saint-Gervais, à 75 Paris IVe, métro Saint-Paul, ligne n° 7 bis, Porte de la Villette-Mairie d'Issy et réciproquement. Mais ne nous laissons pas aller à la dérive sur la mer des propos inutiles et des paroles perdues et abordons plutôt que plutard aux verts rivages méthodiques et rationnels de la raison pure sur lesquels reposent les processus d'élaboration et les prospectus d'édification de la thèse en tant que telle, ou, pour plus de clarté, en tant que thèse que telle qu'en tant que telle elle est.

Poil aux bidons de lait du Pas-de-Calais et aux porcelets du Bordelais.

Voici donc la recette principale et capitale, officielle et complète, nécessaire et suffisante pour concocter et cocotter une thèse philosophique tous azimuts philologiques, sérieuse, consistante, agréable au goût auditif et de digestion sinon diligemment rapide, du moins relativement laborieuse.

La première des choses à faire avant les autres est d'opérer le malade, pardon, le choix, veux-je dire, de la thèse elle-même, ce qui n'est pas aussi simple que le prétendent ceux qui compliquent tout.

Il convient donc, pour opérer ce chinois — pardon — ce choix, veux-je dire, d'autant plus délicat qu'il est plus fragile de se rendre à la foire aux thèses qui se tient une fois l'an, le jour de la Sainte Thèse sur les hauteurs thessaloniciennes, à michelin — pardon — à mi-chemin, veux-je dire, d'Ephèse et d'Epheskipeu, en terre d'Hellade garantie d'authentique origine attique. Poil aux poses plastiques et à la pose des portiques en matière plastique. C'est là, seulement là, uniquement là et nul parapluie — pardon — et nulle part ailleurs, veux-je dire, que se trouve le plus grand choix de sujets de thèse de toutes sortes, tous plus universels les uns que les autres encore que parfois les autres le soient d'avantage que les uns. Poil aux cousins toulousains du duc de Lauzun.

Car, entendons-nous bien pour nous mettre bien d'accord, et réciproquement, la difficulté ne réside pas tellement dans le choix d'une thèse à l'état rut — pardon — à l'état brut, mais plus précisément dans celui du sujet à l'état blet — pardon — à l'état net qui la concerne, étant donné qu'une thèse sans sujet c'est un peu comme un prunier sans prunes ou comme un eunuque qui en est dépourvu.

En conséquence, sitôt le choix du sujet de thèse judicieusement opéré, il y a lieu, et même chef-lieu, de l'introduire dans la thèse proprement dite et pas salement exprimée, d'en faire un paquet bien ficelé et pas comme une andouille qui l'est mal et de l'emporter chez soi aux fins d'établissement soit à son compte ou à compte d'auteur, ce qui revient au même, soit aux frais d'un éditeur ou aux frais de l'Etat, mais de toute manière, à la fraîcheur du soir, qui n'est pas la même, comme lady Chatterley — pardon — comme l'a dit Henri IV, que celle des agrumes, des légumes, des salades, des roulades et de la poule au pot. Poil à l'esprit d'à-propos.

Donc, votre thèse étant ainsi, par vos soins eclairés au néon, à l'argon ou au krypton, rendue en bon état-major — pardon — en bon état civil à domicile, vous la déballez précautionneusement, sujet compris, vous l'étendez bien à plat sur une planche à repasser les thèses en duralumin mais douce à la main et vous lui donnez un bon coup de fer à thèse pour que sa présentation soit impeccable et ne fasse pas un pli.

Puis vous en dégagez le sujet que vous placez à part entière dans un récipient à sujet de thèse non sujet à potion — pardon — à caution, spécialement conçu à cet effet particulier.

Vous versez alors dans une thésière en zinc du Zambèze, et en proportions égales une quantité aussi nécessaire que suffisante, et réciproquement, d'arguments d'appui et d'éléments de soutien, sans pour autant négliger ceux de réfutation et de contradiction. Poil aux fluctuations de la prostitution. Vous mélangez le tout, vous touillez, et vous tournez à l'aide d'un manche à thèse en bois de mélèze ou d'une balayette d'objection en crin du Rhin, après y avoir préalablement incorporé votre sujet le temps nécessaire pour donner à votre thèse l'épaisseur convenable et la consistance suffisante à son bon établissement et à son harmonieux énoncement.

Vous ajoutez alors la valeur d'une bonne louche à thèse de jus de fruits de cogitation et de méditation, en les exprimant méticuleusement jusqu'à la dernière goutte du goutte à goutte.

Sur quoi, vous mettez à cuire à feu ardent de discussion dessus la plaque sensible d'un fourneau avec cible en fonte émaillée de notes additionnelles et de rappels de référence, en surveillant attentivement pour éviter que ça attache et pour que la liaison s'effectue en progression normale de développement et de démonstration.

Poil à la distribution des rations de clarification. Vous laissez mijoter 24 heures ou plus si nécessaire parce qu'insuffisant et vous retirez du feu pour placer l'appareil thésier ainsi constitué dans le four à thèse, à température raisonnable de raisonnement et d'avance de chaise — pardon — et d'avance de thèse, veux-je dire. Sur nouveaux frais, vous laissez cuire au four à thèse, le laps de temps nécessaire et suffisant à une bonne cuisson thésophique et vous ajoutez à l'ensemble conceptué et conceptionné de la sorte, une bonne bouille — pardon — une bonne pincée de sel cartésien, pour gratiner nécessairement les arguments et assaisonner suffisamment les raisonnements, ainsi que deux bonnes autres de poivre ambrosien et de piment rabelaisien à effet de les biens relever et de leur donner plus de corps et plus de poids. Poil aux petits pois d'empois du duc de Lévis-Mirepoix.

Si cela étant à vêpres — pardon — accompli, veux-je dire, vous vous apercevez que votre thèse marque une tendance à être pléthorique par suite d'excès d'a priorismes et d'abus d'a fortiorismes, décongestionnez là en lui posant 2 ou 3 thésicatoires du numéro athésique 28 bis, formule de Schpotzermann et Schpotzermann.

Cela étant dit et fait étant, quand votre thèse est cuite à point — l'état saignant étant fortement déconseillé — dressez là sur canapé de démonstration modèle 96 modifié 1903 rectifié 58 et servez la bien chaude, non sans l'avoir préalablement nappée d'une sauce pilaf de chaire en Sorbonne à tout faire et à ne rien foutre. Il ne vous reste plus alors qu'à la faire avaler et, si possible, digérer, à vos convives auditeurs, toute latitude et toute longitude leur étant toutefois laissées de l'admettre ou de la rejeter, selon l'état en lequel se trouvent leurs organes réceptifs et respectifs d'admission ou de rejet ainsi que leur degré de rassasiement ou de saturation. Poil à la Restauration.

Voilà, c'est tout, tant pour le moment que pour l'instant et réciproquement, en ce qui concerne et intéresse l'art et la manière d'accommoder une thèse.

Poil aux hypothèses et aux hyperthèses de parasynthèse, sans préjudice, soit dit entre parenthèses, d'autres foutaises de prothèse qu'il vaut mieux que je taise.

PENSEES

SUR

LA POLITIQUE, L'ETAT, LE PARLEMENT

ET

₁LA CONSTITUTION

La politique générale concerne tout ce qui se rapporte au gouvernement d'un Etat par rapport à l'état dans lequel il le trouve en arrivant au pouvoir selon celui dans lequel l'a laissé le gouvernement précédent.

* * *

La direction d'un Etat détermine les formes de son activité dans la mesure où elle ne la déforme pas.

* * *

C'est quand un Etat est hors de lui que d'autres Etats s'unissent pour le mettre hors d'état de nuire.

* * *

Quand un gouvernement renversé laisse les affaires publiques dans un drôle d'état, ce n'est drôle ni pour l'Etat ni pour personne.

* * *

Les actes du Président de la République sont contresignés par le Premier ministre, à l'exception de ses actes de naissance, de mariage, de vente et d'achat notariés, sous seing privé et de ses actes de présence aux entractes des spectacles des théâtres nationaux qu'il honore de la sienne.

* * *

En ce qui concerne l'assemblée nationale, les députés qui la composent sont élus au suffrage direct ou virés directement si leur élection est annulée.

* * *

Dans le domaine parlementaire, tout mandat impératif est nul, sauf s'il est postal ou télégraphique.

* * *

Tout membre du Parlement qui reçoit un mandat de s'amener est tenu d'assister à la session parlementaire pour laquelle il est mandaté. Il peut également s'en abstenir s'il entre dans ses intentions de s'y dérober pour des raisons personnelles et sur envoi d'une lettre d'excuses de ses parents, ou, à la rigueur, de sa femme de ménage.

* * *

La dissolution de l'assemblée nationale dans de l'acide sulfurique ne peut être considérée que comme une solution de désespoir.

* * *

Le Parlement se réunit de plein droit et en période de pleine lune si ça se trouve.

* * *

Le Président de la République est élu à la majorité absolue des suffrages exprimés à haut et intelligible vote et le moins grossièrement possible.

* * *

Le Président de la République nomme le Premier ministre sitôt après que celui-ci se soit nommé en déclinant ses nom, prénoms et qualité.

* * *

La déclaration de guerre n'est autorisée par le Parlement qu'en cas de conflit armé.

* * *

En basse politique, la brosse à reluire parlementaire sert à faire briller d'un insolite éclat les plans inclinés plus bas que terre.

* * *

Le Parlement comprend l'assemblée nationale et le Sénat qui, de leur côté, font de leur mieux pour comprendre ce qu'on leur dit.

* * *

Seuls les projets gouvernementaux de bonne confection sont prêts à porter devant la bonne opinion parlementaire.

* * *

La polyvalence d'une politique se mesure à l'origine valencienne des écorces d'orange et des peaux de bananes semées sous les pas de ceux qui la pratiquent, par des politiciens de valence inégale.

* * *

La politique d'engagement est la politique des hommes politiques qui s'engagent, plus ou moins volontairement, à tenir les engagements pris à la majorité des minorités plus ou moins agissantes.

* * *

L'article 16 de la Constitution ne doit son existence qu'à celle des articles 15 et 17 qui le précèdent
et le suivent.

* * *

Les ordonnances prises, rédigées et signées en
Conseil des Ministres sont exécutées par le centre
pharmaceutique parlementaire.

* * *

Les membres du Gouvernement et du Parlement
ont, outre le droit d'amendement, celui de s'amender
publiquement, dont, d'ailleurs ils n'usent pour ainsi
dire jamais.

* * *

Les projets de loi délibérés en Conseil des Ministres sont, après avis du Conseil d'Etat, non seulement
purement et simplement mais encore négligemment et
imprudemment déposés sur le bureau de l'Assemblée
où n'importe qui peut les cravater à la sauvette.

* * *

En politique étrangère, les ambassadeurs sont des hommes d'affaires internationales auprès desquels les attachés d'ambassade sont détachés pour y être rattachés à toutes fins utiles ou inutiles, mais diplomatiquement attachantes par voie rattachante de conséquence consulaire.

* * *

En politique sociale, toute réforme de même nature n'est valable et rentable que si elle l'est à titre définitif et avec pension.

* * *

En dépit de leurs prétentions présomptueuses, les membres actifs des partis du centre ne sont pas pour autant les plus virils du Parlement.

* * *

Le véritable et habile homme d'Etat gouverne avec une main de fer dans un gant de velours et non avec une main de toilette dans un gant de crin.

* * *

La raison d'Etat n'est pas toujours la meilleure, ce qui, pour autant, ne l'empêche pas de faire force de loi.

* * *

En 1789 le Tiers-État était le tiers provisionnel de l'époque.

* * *

Les conflits sociaux sont des conflits d'ordre intérieur qui sèment le désordre à l'extérieur.

* * *

Quand un parti politique bat de l'aile, il n'est pas loin de l'éclatement en vol, si plané soit-il.

* * *

Les extrêmes des partis politiques peuvent mener aux pires extrémités.

* * *

En matière de politique sociale, les pouvoirs publics disent : « Il faut s'entendre pour se mettre d'accord ».

Le patronat de droit divin dit « non »,

Le jeune patronat dit « oui »,

Les Centrales syndicales disent « c'est tout vu, les comptes ne sont pas rendus parce que les revendications ne sont pas entendues »,

Les Co-signataires du contrat social des conventions collectives disent « faut voir pour se rendre compte, et la classe ouvrière dit « merde ».

* * *

Le permis de conduire les affaires publiques devrait être exigible pour tous les postulants à la conduite du char de l'Etat.

* * *

Les politiciens sont à la politique ce que la confection est au sur mesures.

* * *

Les politicards sont les aboyeurs de la politique.

* * *

La politique à l'état pur consiste à ne faire que de la pure politique au service de la pureté de l'Etat.

* * *

Le véritable homme politique et vraiment digne d'en avoir — outre ce à quoi vous pensez — et d'en recevoir l'appellation contrôlée est celui qui, paraphrasant Danton, fait de la politique, rien que de la politique, encore de la politique et toujours de la politique pour que la politique de la Patrie soit sauvée.

∗ ∗ ∗

Enfin, dans l'intérêt général des intérêts supérieurs du pays, il y a lieu et utilité, et réciproquement, de compléter la liste des partis et des groupes politiques actuels par celle officieuse et partielle liste des partis et groupes politiques virtuels suivants :

Le P.S.S.R., ou Parti sans se retourner,
le P.S.L.D., ou Parti sans laisser d'adresse,
le P.E.C.L.P., ou Parti en claquant la porte,
le P.E.C.L.V., ou Parti en cassant les vitres,
le P.D.R., ou Parti d'en rire,
le P.E.W., ou Parti en week-end,
le P.F.S.C., ou Parti faire ses couches,
le P.A.S.M,. ou Parti au service militaire,
le B.P., ou Bon parti,
le M.P., ou Mauvais parti,
le P.P., ou Parti pris,
le G.D.A.R., ou groupe des assoiffés républicains,
le G.E.D., ou groupe électrogène démocratique,
le G.S.D.E.R., ou groupe scolaire démocratique et républicain,
et,
le G.D.C.I.D.S.V., ou groupe du centre indépendant de sa volonté.

PENSEES

PROVERBIALES

Le proverbe qui dit : « Entre deux maux il faut choisir le moindre » est un proverbe fourbe parce qu'il s'abstient hypocritement de dire, en ce qui concerne les gros, lequel choisir entre vieille merde et vieux con.

* * *

De même que celui qui dit « aux innocents les mains pleines » se garde bien, de la même, façon de dire au juste de quoi sont pleines les mains des innocents.

* * *

« Chose promise chose due » est un proverbe sujet à caution parce qu'il en est trop souvent peu tenu compte dans les milieux officiels.

* * *

Le vieux diction proverbial qui dit : « Dis-moi qui tu hantes et je te dirai qui tu es » ne dit pas, mais devrait dire : « Dis-moi ce que je te dois je te dirai si je peux te le rendre ».

• • •

Le proverbe empirique qui dit : « C'est en forgeant qu'on devient forgeron » est un proverbe de vérité, car il est plutôt rare, en effet, qu'en forgeant, un forgeron devienne petit télégraphiste ou mannequin de haute-couture.

• • •

Le proverbier menteur et besogneux qui a écrit : « Il n'y a que la vérité qui blesse » n'a sans doute jamais eu l'occasion de recevoir un véritable et magistral coup de matraque sur le crâne ou sur les fesses.

• • •

Le proverbe qui dit : « Nécessité fait loi » concerne au premier chef de corps et en premier lieu d'aisance les châlets de nécessité.

• • •

Jadis on disait : « Chacun pour soi et Dieu pour tous ». Maintenant on dit toujours : « Chacun pour soi, Dieu pour tous, mais on ajoute, et 10 % de pénalité. »

• • •

S'il faut tourner sa langue sept fois dans sa bouche avant de parler, combien de fois ne faut-il pas tourner autour d'un pâté de maisons pour trouver une place pour ranger sa voiture.

● ● ●

Qui se sent morveux qu'il se mouche est un proverbe correct et régulier, car il n'y a aucune raison pour que j'aille moucher le nez d'un type que je ne connais pas, que je n'ai jamais vu et dont je n'ai strictement rien à foutre.

● ● ●

Si, avec un si, on peut mettre Paris dans une bouteille, on doit pouvoir aussi, avec un si bémol ou naturel, mettre une contrebasse dans un porte-documents ou un hélicon dans un carton à chapeau.

● ● ●

Il ne faut jamais remettre au lendemain ce qu'on n'a pas fait le jour même, mais qu'on aurait pu faire la veille ou l'avant-veille du surlendemain.

● ● ●

Tout vient point à qui sait bien attendre ce qui l'attend au tournant et qui lui pend au nez sans savoir d'où ça vient.

● ● ●

Les murs ont des oreilles dans la mesure où les cloisons sont nasales et les conduits en acoustique.

●　●　●

Si l'oisiveté est la mère de tous les vices, l'outillage est le père de tous les tournevis et le beau-frère de tous les vilbrequins.

●　●　●

Qui ne dit rien consent, mais qui consent à tout sans rien dire est une belle lavette, un bon à tout et un propre à rien.

●　●　●

S'il est vrai qu'il y a loin de la coupe aux lèvres, il est aussi vrai qu'il n'y a pas loin de 400 km de Paris à Clermont-Ferrand et réciproquement.

●　●　●

Si la fortune vient en dormant, ça n'empêche pas les emmerdements de venir au réveil.

●　●　●

« Qui vole un œuf vole un bœuf » dit un proverbe honnête et moral, mais « qui vole un bœuf est bien emmerdé de ne pouvoir l'emporter comme un œuf » dit un autre proverbe réaliste et conjonctural.

* * *

Si l'habit ne fait pas le moine aucune règle monastique n'interdit à un moine de se faire marchand d'habits monacaux à Monaco. .

* * *

Si la caque sent toujours le hareng, le macaque ne sent pas toujours le cormoran.

* * *

S'il n'est pas bon d'être pris entre l'arbre et l'écorce, il ne l'est pas non plus d'être pris entre les Arabes et les Corses.

* * *

Le proverbe « Autant en emporte le vent » est un proverbe incomplet et insuffisant car « le vent lui-même autant en emporte le temps.

* * *

Péché avoué est à demi pardonné, mais pécheur qui ne prend rien ne se pardonne qu'à moitié de ne rien prendre tout en gardant l'autre moitié de son pardon pour s'absoudre à demi de n'avoir rien pris.

* * *

Un très ancien proverbe birman dit : « Rien ne sert de courir si on n'est pas pressé et rien ne sert de marcher si on n'est pas foutu de se tenir debout ».

* * *

Un autre très ancien proverbe birman dit : « Rien ne sert de pisser si on n'en a pas envie ».

* * *

Un tout autre très ancien proverbe birman, plus ancien encore que les deux précédents dit je ne me rappelle pas trop quoi au juste tellement il est ancien.

* * *

Quant à la Saint-Médard il tombe de la pluie, de la neige, de la grêle, des hallebardes et de la suie, on est tranquille pour quarante jours plus tard, parce que, à part tout ça, qu'est-ce que vous voulez qu'il tombe ? Oui, je sais, mais enfin c'est plutôt rare.

* * *

Enfin, le sarcastique et prophétique proverbe qui dit : « Rira bien qui rira le dernier » gagnerait à être ainsi modifié : « quand celui qui rit le dernier a bien fini de rire, personne ne rigole plus ».

CONCLUSION

Le redoutable essayiste et virulent polémiste Jules Ignace Keszkipu-Scélboucq, de l'Académie des inscriptions sur les murs et belles-lettres recommandées, a écrit dans son fameux et captivant ouvrage « Des motivations de la conception conjoncturelle et de la conjoncture conceptionnelle considérées comme éléments conceptuels d'influence culturelle sur la vie culturelle des industriels contractuels de la région d'Arkhangelsk : « La conclusion est à un texte littéraire ce que la fermeture est à un hebdomadaire contestataire ».

C'est donc en vertu tant théologale et cardinale que sentimentale et fondamentale de cette combien édifiante et combien justifiante constatation que j'ai enrepris, sans me poser de question préalable ni m'adresser de préavis questionnaire, de rédiger et d'écrire la présente conclusion.

Selon toute logique et selon toute vérité de La Palice, la conclusion implique nécessairement l'obligation de conclure suffisamment. C'est là un fait qui n'est pas plus révocable en doute que niable en évidence, mais dont la proposition ne vas pas sans poser un problème, lequel problème n'est autre que celui de la conclusion en tant que telle et telle qu'est est en que tant.

Or, que doit être ma conclusion ? Ce qu'il est souhaitable qu'elle soit, certes et bien sûr, mais encore ? Me voilà bien embarrassé — pardon — bien emmerdé, voulais-je dire, pour répondre à la question, car je ne sais trop comment m'y prendre pour conclure de manière vraiment satisfaisante et de façon véritablement concluante. Pourtant, il faut que je m'en sorte sous peine d'y rester. Cruel dilemne et douloureuse alternative !

En définitive, toute réflexion faite et tout bien considéré, je pense parce que je l'estime, et réciproquement, que le mieux pour en finir est de dire que ma conclusion est résolument conforme au texte qu'elle concerne, lequel texte est concerné par elle. C'est-à-dire qu'elle consiste à signaler que ce recueil de pensées, tant générales que spéciales, est fini parce que parvenu à son point d'achèvement, ce qui, incontestablement, rejoint indiscutablement la remarquable constatation de Jules Ignace Keszkipu-Scelboucq duquel je vous recommande vivement la lecture de son captivant ouvrage cité à l'ordre du début de ce propos conclusif, qui, j'en suis aussi certain que persuadé, vous donnera autant à penser profondément qu'à réfléchir intensément.

Pendant que j'y suis et pendant que j'y pense, je vous recommande vivement également la lecture du non moins captivant ouvrage de l'éminent écrivain franco-japonais Tanki-Yoradla de l'Institut des Hautes Etudes des marchés parallèles, du marché noir, des marchés en plein air, des marchés couverts et des marchés forains, intitulé : « Histoire officielle et complète de la matière première depuis la nuit des temps jusqu'aux jours du nôtre », qui vous donnera, lui, j'en suis aussi sûr que convaincu, autant à cogiter longuement qu'à méditer largement.

Voilà. Conclusion tirée, non pas par les cheveux, mais à quatre épingles et déposée, non pas comme une plainte en justice, mais conformément aux dispositions de la Loi concernant la liberté de pensée du 12 Prairial an II du calendrier républicain, un, indivisible, indestructible et indéfectible. Poil aux irréductibles. Terminé.

Poil au nez.

TABLE DES MATIERES

Imprimé en France par la Société Nouvelle Firmin-Didot
Dépôt légal : mai 1992
N° d'édition : 002 - N° d'impression : 47865
ISBN :2-86274-002-0